Genèse
Oui, du jour où tu en mangeras...

Genèse
Oui, du jour où tu en mangeras...

CLAUDE COHEN-BOULAKIA

Les éditions des
R siers

Les Éditions des Rosiers
martinek@editionsdesrosiers.fr

© Éditions des Rosiers, Paris, 2023
ISBN : 979-10-90108-24-0

À Isabelle

1

Ils demeurent Gorgés, entassés ; ils affluent de
toutes parts. Tous sortent de léthargies.
Non ils n'ont rien oublié.
L'amnésie irrigue tous les cerveaux devenus. Ils
fouillent les patries, les patrimoines.
« On » leur avait enseigné « les localisations céré-
brales ».
Chaque aire porte un nom reconnaissable.
Chacun, chaque chose était identifiable.
La terre déclamait ses territoires.
Ils avaient édifié de multiples verrous.
Ainsi les clefs linguistiques pouvaient enclore
l'énigme du corps.

Ils enroberaient le corps.
Les litanies : conscience dignité...
emmuraient les dires du corps.

Vivre en « dignité ». Mourir en « dignité ».
Ils ne cédèrent rien aux bruissements.
Fiers, exemplaires.
Debouts.

Ils avaient ingurgité, dégluti les fantasmes, les
peurs.

2

Ils seraient impeccables.
Ils ne sont pas de ceux qui vivent « assis » ou et
« couchés ».
Toutes les images développaient les corps
conquérants.
Que soupçonnaient-ils du corps ? Ils réduisaient
le corps à une strate.
L'aire visuelle s'emparait de tout.

Se tenir à distance.
Recroqueviller cette chair sous l'apparence.
Le tout du corps était soumis à la *mesure*.
Les bonnes mensurations étaient « garantes »
d'une longévité infinie.
L'arbre de la connaissance du bien et du mal était
leur certitude
Que savaient-ils de l'arbre de la vie ?

La peau irriguée de caresses bousculait les tuber-
cules de l'ignorance.
Elle dit les silences : enluminures artérielles,
veineuses. Les rondes cellulaires s'inscrivent en
dignité.
Ouvertes, elles chuchotent...
Assises. Couchées.

3

Elles se tiennent à l'écart.
Les réseaux coutumiers : endomorphine sérotonine adrénaline dopamine
Inscrivent en silences des enchevêtrements, des courts-circuits.
Suspicions neuronales.
Les *dignitaires* légifèrent.
Les tohu-bohus corporels doivent être endigués.
Ils n'ont rien saisi.
Que savent-ils des bénédictions de la tour de Babel ?
Corps aux multiplicités infinies.
Vous ne serez jamais noyés dans l'unité.
Les idolâtres de l'unicité déclament corps digne corps indigne.
Ils ont momifié le corps. STATUES DE SEL.
Corps fonctionnels opérationnels.

Aptes.
À qui, à quoi ???
La question ne sera pas posée.
Il y va de notre *survie*.

4

La survie réclame l'identique : programme géné-
tique en vase clos.
ENTROPIE ?
Les devenirs s'écrivent aux passés.
Le corps a-t-il un à venir ?
Adam et Ève arrimés au serpent pour toujours.
Discours lénifiant : la mort cellulaire.

APOPTOSE.
Lumineux
Tout est sera dit du corps.
Jubilation savante expérimentale.
Tu ne toucheras pas à l'arbre de vie.
Le dit « apoptose » sait que l'arbre de vie est leurre.
L'occultation de la vie est « profusion ».
Imaginaires répétitifs dogmatiques stériles.
Organisations individuelles plurielles.
Manducations incessantes de la mort cellulaire.
L'humanité n'est-elle pas à la réplique de Dieu ?
Transcendance immanence ruminent.

5

Tous les refuges sont invoqués.
Exclusions expulsions.
Catastrophismes.
L'exaltation des maux signe l'extrême jouissance
du MAL. Le mal radical susurrent les lèvres glou-
tonnes enflées.

Les cannibales des utopies exultent.
La liturgie du mal vocifère toutes les malédictions.
Futur de terreurs.
Ils se sont engloutis.
Ils ne surent jamais les lendemains de légèretés.
Ils sombrèrent.

Les annonceurs des catastrophes étaient eux-
mêmes les catastrophes.
Ils ne pourront jamais triompher.
Ils ne purent vaincre.
Ils disparurent contingents.
Paradant de tous leur manques.

6

Hurleurs.
Leur bouche ne décolérait pas.
Leur langue sifflait.
Néant. Néant.
Ils s'étaient englués.
Gisant dans les premiers anneaux.

Ils médirent Adam et Ève. Ils bénirent SERPENT.
Ils n'en finissent pas de se frotter.
Râpes.
Rugueuses paroles.
Gestes éculés : mécaniques dentaires.
Quelques échappées.
Unique.
Son assourdissant.
Course échevelée droite gauche noire blanche
jaune cuivre...
Unique.
Le mal est radical. Le mal est radical. Le mal est
radical.

7

Sanglots larmoyants.
Êtes-vous nés dénudés ?
Exposés
Vos langues restent-elles « glèbeuses à jamais » ?
Et pourtant ils furent les « grands privilégiés ».
Ils lisaient, publiaient, se montraient en tout lieu,
en tous les temps.
Les grands inquisiteurs dénonçaient. Ils déroulè-
rent toutes les preuves.
Ils témoignaient.
Ils étalèrent leurs besaces « grosses d'éruditions ».
Pour toute joie ils avaient l'antidote.
NO FUTURE.

Ils disséquèrent les plus hautes intensités.
Les cellules aériennes couvées de silences.
Ils ne purent voir.
Ils ne comprirent pas l'inscription fatidique.
Leur rumination serait éternelle.
La chair se fait verbe.

8

Ils se détournèrent avec fracas du sixième jour.
À l'image de DIEU. Ils mimèrent le dieu.
Ils renversèrent le rythme de la création.
Ils se substitueraient à la « GLEBE » par le verbe.

Le verbe se ferait chair.
Les croisades contre le corps s'emparaient des mécréants.
Toute la terre déclinerait le verbe.
Où étaient donc passés les « glèbeux » Le verbe flottait sur les mondes.
Tout était accompli.
Tout fut achevé.
Le livre était lu.
Ainsi les premiers purent être les derniers et les derniers les premiers.
L'ordre devait être inversé.
Il y allait de la « survie ».
La « perte » du paradis s'empara des cerveaux naissants, fragiles.
Un train d'ondes de fureurs vibra sur les continents.

Embryons, nous nous désignerons désormais perdants, nostalgiques.

PÊCHEURS

La nouvelle langue fut nécessairement « universelle » – TOTALITAIRE – Les corps enduits de glèbe ne prirent pas le temps d'émerger.

Ils étaient aussitôt immergés dans l'eau du verbe.

L'homme à l'image de dieu *osa* dire : Tout est bien.

Les fœtus traversaient les espaces.

Ils seraient intemporels.

Ils demeurent inachevés.

À l'image de D.ieu, ils se projetteraient.

Des lambeaux d'ébauches accroupies s'écriaient.

Dieu vivant.

Langue incorporelle : glapissements.

Dieu vivant.

« Verbe » unicellulaire. De la glèbe au dieu.

Ils sautèrent.

Des glèbeux se tiennent à l'écart.

10

Chuchotements murmures...
Une voix : Je suis celui qui serait.
Les cellules s'organisaient, elles babélisaient.
Elles se bousculaient multiples.
Elles s'apprenaient. Cœur. Rate. Foie.
Estomac. Plexus... Hormones. Neurones...
Elles résonnent : écho assourdissant.
L'homme à l'image de D.ieu

Faut-il mélanger mixer tous ces « corpuscules »
Tout ne peut être avalé.
Il y va des créatures. Les corps naissaient.
« Dinosaures d'humanités ». Lourds d'ignorances.
Ils parcoururent.
Ils seraient, ils étaient, ils s'inscrivent au futur.
À l'image de D.ieu ils seront. Ils se déclineraient
« futur ».

« À l'image de... »
Ils se dédoublaient, se mirèrent.
Ils tournaient, se retournèrent, n'aperçurent que leur propre image.
Les *glèbeux* se tiennent à l'écart. Ils ne profanent pas la glèbe.
Ils se baignaient en eaux immémoriales.
Les premiers *jours* lissent leurs lèvres muettes.
Ils ne réclameraient rien. Leur corps bouillonnait.
Les bruissements premiers furent leur itinéraire.
Ils malaxèrent, trièrent.
Ils se glissaient, sanguinolents à l'aube.

Le cordon inscrivait l'immersion cosmique.
La genèse crépitait, flamboyante.
L'homme à l'image de DIEU.
L'alliance.
Le corps scellait, à l'écoute.
Il n'avait jamais compris les méfaits...

12

Coupure. Rupture. Tragique.
Ils s'interrogeraient : tous les corps quelques corps seraientà l'image de D.ieu ?
Ils devineraient l'énigme. Le glèbeux dressé riait, riait. Une voix limpide *initia*.
Voie de chair.
ŒIL POUR ŒIL.
DENT POUR DENT.

Crypte éthique. Tout s'inscrit.
Savoir premier, primitif, définitif.
Du premier jour au sixième.
Les engrammes s'entassèrent, s'enlaçaient.
Flux. Stases.
Déchiffrer. Décoder. Ils n'hésitèrent jamais. Ils surent les effrois.
ŒIL POUR ŒIL.
DENT POUR DENT.

Ils ne se courbaient pas sous les verdicts.
Ils construisirent des oasis minuscules : compassion pardon...
Ils inventèrent ces stratégies.
Jamais ils ne doutèrent. Tout est bon résonne encore.
L'avertissement sera entendu.
Il y va de la vie.

Ces glèbeux de chair, en chair clamèrent l'innocence.
Certains épuisés d'impatiences susurraient des liquides aigres-doux.
Chute. Culpabilité. Remords. Repentir. Ils s'encrassèrent longtemps, durablement.
Pourquoi ?
À l'image de Dieu est-elle l'énigme du corps ?
Ceux qui accepteraient l'alliance savaient-ils ?
Le corps à l'image de Dieu.
Exaltés exubérants ils dansent le corps...
En anamnèse ils sillonnent les temps les lieux.
Nombreux firent erreur.
Ils se précipiteraient.

14

Ils feraient de l'homme le dieu.
Tout fut inversé.
Le corps se résolvait : malédiction. Malédiction
est encore et toujours corps.
Corps béni. Corps maudit.
Le crucifié est-il à l'image de D.ieu ?
« L'un pluriel » se figea « SOUDAIN ». Le fils
« UNIQUE »
sera à l'image de D.ieu.
Ils ne savaient rien.

Les premiers n'auraient jamais osé.
Ils feignirent de sortir d'émerger... Ils se mirent
en routes cahotant chuchotant.
Isaïe les attendit.
Les premiers écoutèrent et ne virent pas le
« crucifié ».
Nombreux, de plus en plus nombreux croas-
saient. Réparation. Sacrifice. Résurrection.
La perte leur permit de survivre.
Ils bouderaient ce Dieu impalpable.

15

Ils *s'aggripèrent* au corps mortel visible.
Leurs yeux : ouvrirent un corps le corps unique désormais immortel.
Les premiers ignoreront cette « immortalité ».
Écoute les pulpes la peau.
La genèse du corps. À l'image de Dieu.
Ils ne surent, ne pourront renoncer.
Engrammes d'élation sautillaient dans les interstices.
Les lourdes connaîtraient l'exil des premières strates.
Rien ne serait effacé.

Chaque élément est de passage en ces premiers éveils.
Les organes témoignaient de leur insuffisance.
Ils ne furent que des fugitifs.
Ils servirent les premiers jours.
Ils ne prétendaient à aucune résurrection.
Non !
Ils ne seraient pas à l'image de Dieu.

16

Les mortels ne le pouvaient.

Ils savaient qu'ils traverseraient les idoles.

Ils durent tout représenter : à leur image embryon-
naire.

Ils se comparaient : « petit grand menu gros riche
pauvre... »

Ils s'évalueraient hiérarchiseraient.

Les images, les représentations les assiégèrent.

Ils clopinaient l'un sur l'autre, l'un sous l'autre.

L'autre déclinait le moi. Ils évacuèrent ainsi leurs
frayeurs. Ils pétrifieraient leur « moi ».

Ils inventèrent l'amour du prochain.

Ils clameraient la haine de l'amour, l'amour de la
haine

L'AMBIVALENCE

FUT LA CLEF DES RAPPORTS HUMAINS.

La rivalité dévoila l'énigme de l'âme humaine.

L'une ou l'autre.

L'un contre l'autre.

Abel sous Caïn.

Caïn nu portant la finitude.

17

Ils se tenaient éloignés du « ressuscité ».
Enduits encore de glèbe leurs corps pesants résistèrent.
Nombreux s'indigneraient et coururent vers lui.
« Ni pleurer ni rire mais comprendre » Cette parole de Spinoza indiquait le chemin.
L'éthique flamboya en secret : l'homme à l'image de Dieu.
LeHaïm.
Les aînés ne s'inclinèrent pas.

Ils écouteraient les murmures des corps ; ils devaient fouiller, décrypter, ausculter.
Que peut le corps ?
Résonnera la prophétie d'Isaïe.
Certains aînés envièrent les cadets « promis » ressuscités.
Ils fustigèrent les rites les lois ; ils voulaient tout, tout de suite.
La finitude volerait en éclats.
Le corps se vidait de ses organes : le corps glorieux était né.

18

Ils se mirèrent mais ne découvraient pas la gloire.
N'y eut-il qu'un unique, un seul qui émergea ?
Pour toutes les créatures, pour chaque Adam,
chaque Ève ?
Comment imiter l'unique ?
N'y aurait-il qu'un à l'image de Dieu ?
Les cerveaux aînés bouillonnaient
Les cadets annonçaient LA NOUVELLE.
Ils ne purent saisir ce refus.
Le sixième jour s'arracha de la genèse.
L'embryon n'eut pas le temps de grandir.
Il ne prendra pas le temps d'apprendre à épeler
les lettres, à écrire.
Le récit se déroulerait en lambinant.

Minéral. Végétal. Animal. Humanoïde...
Ils réduiraient en poussière les quatre strates.
Le verbe se ferait chair.
« Inquiétante étrangeté »
Tohu-bohu.

19

Ils falsifieraient les balbutiements du corps.
Adam et Ève trottinaient.
Ils examineraient chaque organe.
« Écoutes »
Le corps parle. Le verbe est corps.
« Écoutes. »
L'arbre de la connaissance.
Sois le gardien de ton corps.
Apprends le bon, le mauvais à manger.
Le corps goûte, savoure : il chuchote les premiers mots.
Le corps refuse.
Le bien, le mal sont en gestation. Écoute les dires du corps.
Corps lourd des cinq premiers jours.
Comment trier ce qui convient, ce qui ne convient pas.
Le corps saisit : choisir est ignorance.
Choisir risque l'erreur fatale.
Le corps innocent peut périr et ne périt que dans l'ignorance.
Le corps se gausse de la liberté de choix.

20

Il ne pourra jamais écrire : le poison me convient.
À l'image de Dieu. À l'image de Dieu exulte le corps.
Il se réjouit d'être le créateur, le seul créateur.
Il pressent le devenir du corps.
L'humanoïde. L'humain. L...
Les éclats résonnent les humeurs, les rumeurs viscérales, cérébrales.
Les cellules s'esclaffent : nous ne vieillirons plus.

Aux aguets des technologies les plus fines, les corps deviennent « laboratoires ».
Tout peut être tenté.
Il y va du devenir du corps.
Il y va du sixième jour.
Nul rejet de toute entreprise de rajeunissement : les corps se font dociles, généreux.
Ils pressentent. Ils participeront à leur façon.
Non nous ne sommes pas finis, achevés... Ils parcourent les rides, les vieillissements. Profusion de corps « LISSES ».
Hors âges.
Ils pressentent. Nous ne serons plus mortels.

21

Ont-ils parcouru la genèse ?
L'enthousiasme planétaire pour les corps « jeunes »
n'est-il pas écho.
À l'image de Dieu
Créature en pointillés.
L'infiniment petit. La puce minuscule vogue
d'organe à organe.
La nouvelle détective appréhende la moindre
pathologie passée, présente, future.
La chasse à la survie se déploie en tous sens.
Ils, « statues » de, en pierre la maudirent...

Catastrophes. Catastrophes. CATASTROPHES.
Longtemps, très longtemps, trop longtemps ils
salivèrent en, de, thanatos.
Les pluies mortifères déversaient leurs poisons
verbaux.
Leurs statures dépeçaient, vampirisaient.
Ils furent gardiens. Ils ne voulurent pas, ils ne le
purent, sacrifier la mort.
Tout fait signe. Silence des écloses.
Les corps en folie raclaient les lamelles duelles.
Qui Quoi je tu il nous vous s'estompait.
Identité ! Identité !

Les futurs sillonnaient les laves de l'éternité.
Les idolâtres de la mort se fixèrent ; ils se raidi-
rent. Ils ne pouvaient engloutir le septième jour.
Idolâtres de la mort : idolâtres en dignités.
Droits.
Finis certes
À LA VERTICALE !
Les horizontales, les pliées : improductives,
improductives.

Accusées « levez-vous ».
Elles ne le peuvent. Rebuts. Déchets. Insuppor-
table indignité !
Euthanasie ! Euthanasie !
Méconnaissables. Ce ne pouvaient être elles, eux.
Elles avaient trahi leur pétulance, leur éclat.
Ils ne pouvaient tolérer « ce vouloir-vivre ».
Eux n'accepteraient jamais cette déchéance.
Mortels.
Mais debout.

Impeccables.

Utiles jusqu'au dernier soupir. L'image narcissique triompherait.

La conscience n'est-elle pas l'unique phrasé ?

Le corps sera conscient ou ne sera pas.

Vous tous : en Parkinson, en Alzheimer, en AVC, en...

Pourquoi êtes-vous présents ? Quelle est cette présence flottante ?

Êtes-vous seulement présence ?

Que signifie ce corps qui ne sait pas le jour, l'heure, l'année !!!

Ce corps qui ne peut pas manger « seule ».

Ô corps court-circuités ! Nulle

Méritez-vous encore de vivre ?

La perte d'autonomie signe l'indignité.

Et vous osez sourire toucher murmurer.

Vous qui ne servez plus à rien.

Nulle apologie de la douleur, de la souffrance !

24

Lapsus mots chuchotés audibles à peine.
Cris érotiques, gestes déplacés.
Rites répétitifs « insensés ».
Bouches maladroites.
Lèvres gloutonnes dégoulinantes. Corps « hors-circuits » !
Dites.
Dites-nous
Vos émois, vos minuscules cavités.
Vos déconnections.

En anomie vous vivez d'autres rythmes, lenteurs, accélérés.
En raideur, en lourdeur.
Pas de liberté de choix !
Et pourtant !
Vos silences écrivent.
Autres voies. Parcourir du sixième jour aux premiers, Et peut-être si proches, si accueillants au septième jour.
En dignité, en indignité nous sommes tous égaux en finitudes.
Corps allongés, pliés, recourbés.

L'équation : corps fonctionnel productif rentable donc digne est pauvre, illusoire stratégie.
Corps digne corps indigne !
Notre seule grande fraternité sororité : nous sommes voués au Septième jour.
Jour sept.
Corps advenu. Corps inconnu. Corps invisible.
Que sait le corps ?
Entendez ses gourmandises, ses gloutonneries.
Mémorez ses balancements collés à la terre.
Tous identiques vivants des mêmes ingrédients.
Libellules, ânes, dinosaures, oiseaux, éléphants.
Humanoïdes.
Les dispositions, les compositions, les agencements seuls racontent les multiples, les singulières, les différences.
Trier. Effleurer. Concocter. Écarquiller...
Prendre. Déprendre. Reprendre.
APPRENDRE.
Quoi ? Quoi ?

Peser, soupeser.
Rouler, enrouler, dérouler.
Jouer, se blottir, cacher, se cacher. Poser, déposer, reposer.
Fouiller doucement lentement.
Examiner parcelle par parcelle. Inverser, renverser, déverser.
Et toujours, toujours joie d'enrober, d'envelopper. Tremper, essorer.
Anamnèse amniotique.

Couches superposées. Plis, replis.
Profusions cellulaires : lignes, étoiles, cercles. Le corps tâtonne, hésite, recommence.
« Retour éternel du même »
Trier, sélectionner...
Les mortifères ne reviennent pas.
Ce goût, ce goût.
Cette texture liquide ignée à l'aube de l'éternité.
Le corps fait silence.

Dieu fait silence.

Le corps joue, bruyant, tapageur : où, comment, quoi ?

L'hippocampe enregistre les cinq premiers jours.

Oubli gardien de nos proximités.

Nous ne serons jamais nés de rien.

Minéral végétal animal édifient nos premiers verbes

Ni temps ni espace.

Recueillir accueillir : rien ne se perd.

Ne pas se précipiter sur l'arbre de la connaissance du bon du mauvais.

Les cellules naissantes ne le peuvent.

Plonger dans le sommeil de Dieu.

ÉCOUTES.

Puits origine commencements.

Les couches cérébrales hôtesses d'abondances accumulent, répartissent

Se distribuent se localisent.

Dieu sourit, observe ce sixième jour : êtres nouveaux et mêmes matériaux identiques : dieu ne gaspille pas.

A peine dressés, encore fléchissant sur leurs membres incertains ils proclament le retrait de Dieu.

Ignorent-ils les bruissements des joies cosmiques ?

28

Pas une once...
Mémoires multipliées, débordées toutes si rap-
prochées, si proches. Nous, en surfaces, à la surface, recroquevillés, étalés
sortis des antres « trous noirs odorants aqueux
ignés... »
Nous demeurons.

Nos dermes émergents si lourds, si pesants. Ni
exilés ni déshérités.
Habités, enduits, couvés encore et toujours des cinq
premiers jours nous ne pûmes, nous ne pouvons,
nous ne pourrons jamais couper nos cordons.
Le vide est plein unique dire du corps, des corps
minuscules « géants nains ». Tout est ondulation
vibration transmission.
Le cordon ombilical infini irrigue nos hémisphères. Savoirs exquis des multiples égrenant les
textes à venir. Œil pour œil dent pour dent légifèrent nos mémoires.
Ni vengeances ni ressentiments.
Tout s'inscrit : dits non-dits. Tout est là veille
sommeils.
Fluide vital déploie l'univers en ses fabuleuses
expérimentations. Illusion des coupures des exils
des retraits !

Ces vocables marchandises statufient le corps.
Nous laissons « la place » en pénuries.
Y aurait-il pénurie pour dieu et les vivants ?
Ce nouveau venu humain devrait-il déchirer
couper pour être ?
Qui parle ? Quoi rouspète ?
Statut de liberté : le père laisse la place au fils.
Un certain a pu déclarer « Le fils est la mort du
père ». Mortifère étrangeté.
Embarqués en Éros nous cheminons.

Apprentis, découvreurs, nous plantons, creusons,
irriguons. Nous décodons les premiers émois, les
premiers frissons.
Nos peaux désertent.
Nord, sud est ouest courent dans tous les sens.
Les six jours s'accolent l'un à l'autre.
Amplitude, complexité !
Enlacements, gratitudes des plus simples aux plus
complexes. Ni exils ni retraits !
Tout est là.
Aux aguets nos sens flottent.
Nos corps bousculent, se bousculent.

30

Leur liturgie radotait.
Pardon ! Pardon ! S'inscrivaient sur tous les continents. Guerriers, belliqueux, haineux mendiaient : pardon pardon ! Les millénaires s'affaissaient terrassés.
La culpabilité glapissait. Elle inoculait.
Elle brandissait ses terreurs. Elle fut festoyée divinisée.
Les humains ne cessaient de ruminer. Ils se pétrifièrent en leurs fautes.
Fautes passées fautes futures, ils traçaient la même ritournelle Pour les siècles des siècles.
ÉCOUTES ÉCOUTES.

Œil pour Œil. Dent pour Dent. Le corps écrit, écrit. Nulle rature. Le corps se rit du pardon.
Le corps goûte hume touche entend voit. Aux aguets, il évalue jauge trie.
Délices ? Poisons ? Succulences ? Déchets ?
Essais erreurs.

N'es-tu pas le gardien de ton frère ?
Terreur de Caïn !
Le temps de dieu. Le temps des naissants.
L'antre temps. L'entre temps.
Profusions verbales horizontales, verticales.
Leurs corps tournoyaient, cabriolaient, renver-
saient, se renversaient.
Digérer, sécréter, expulser : les viscères avaient
capté les mécanismes.
Chaque organe accomplit sa mission.
Mémoires des premiers temps végétal animal.
Infusions de paroles inscrites orales anales.
Humer gouter déglutir avaler ? Ils savent ; ils
apprirent. Diplodocus humanoïdes.
Leur corps parlent parlent.

Ils bondissent rebondissent ; maux étranges, ratés.
Quoi ? Qui ? Où ? Quand ?
Le mal est ailleurs au dehors : mon corps est
indemne.
Il est attaqué, agressé : nulle poussée interne.
Il est vie. Il plonge dans les multiples, les divers
Héritier des temps des espaces il flotte.

32

Ils indemnisèrent les maux, les maladies, les...
Ils confessèrent. Avouez.
Les boucs émissaires galopèrent de tribu en tribu
de peuple en peuple, arrosés de malédictions.
Le bouc émissaire jappa longtemps :« innocent,
innocent ».
Nul désir de destruction n'habite le corps.
Le bouc émissaire dévoilait toutes les frustra-
tions, toutes les insatisfactions.
Ni chute, ni péché, ni paradis perdu n'appartin-
rent au corps.
Ils témoignaient des détours, des négligences.
Les abstinences légiféraient : instinct de mort
désir de meurtre.
Le verbe éructait les puanteurs des frustrés.
Incendies. Tsunamis...

Ces paroles brassaient les couronnes mortuaires.
Éjectées encore et encore et toujours elles
asphyxièrent les hémisphères.
Les filiations glapissaient les bénéfices : culpabi-
lité transgression.
Les mythes prirent « corps ». Œdipe inventait la
trinité : embryon imbriqué à jamais au duel ovule
spermatozoïde.
Où étaient donc passés les cinq premiers jours ?
Le tissu humain ne pouvait se dilater ; ses mailles
se crispaient.
Ils ne purent, ne surent crypter, décrypter les
a-venirs.
Ils voulurent « embaumer » le corps avant d'être né.
Embaumer se nomma désormais : « sublimer »
au-delà du plaisir.

Des siècles des siècles ils pollueraient au-delà du plaisir.

Les corps résistaient.

Ils ne céderaient plus à la tyrannie des petites morts.

Les cellules se ressourçaient ; elles ne s'exposeraient plus. Femelles, mâles, les textures enrobèrent.

Les compléments directs indirects de lieu de temps de circonstance s'évanouissaient.

De tous les horizons surgirent les métamorphoses : vibrantes de suavités. L'entendement pétri de laves parcourrait les galaxies, les multiples.

L'infini raisonnerait.

Les modes finis s'articulèrent désormais.

Nul modèle, nulle exemplarité.

Nous l'ignorions jadis. Nous serions les vainqueurs ou rien. Nos os se fracassèrent, s'usèrent en rivalités.

Ni premiers ni derniers murmurait-on.

Les humains griffèrent les hiérarchies : les premiers hurlèrent.

Les derniers s'affaissèrent en un « dernier » effort.

La numération s'éclipsa. Les chiffres disparurent.

Combien ? Combien ? Combien ?

Les étoiles éclatèrent de rires.

34

Interrogations frémissantes : « De rien, du néant » ? D'où venons-nous ?
Création ! Évolution ! Ils se déchiraient, s'excommuniaient, s'excluaient.
Ou ou dévoreraient. Disjonctions meurtrières qui décimèrent tant et tant.
Les postures elles-mêmes furent fichées.
Coupables les tams tams les déhanchements échevelés.
Les diables sautillaient. Ils ne purent les extirper.
Ou ou parcourut la terre nettoyant, fauchant les corps festifs.

La gestuelle, la sonorité, la couleur, le goût seront jaugés à l'aune de l'unicité.
Ils se crurent invincibles. Agglutinés à leur croyance ils vociféraient. Ils se gargarisaient : apocalypse fin du monde.
J'exclue j'existe... Ils s'empâtaient en leur inexistence : j'exclue j'existe.
Ils furent submergés par des hordes de « Et Et ».
Immigrants décloisonnaient. Migrant, émigrant, immigrant. L'obésité ou ou exploserait. Tous les régimes échouèrent.
La mondialisation eut des commencements essoufflés.
Il fallut élaborer de nouvelles verbales.
Il fallait élaguer, trier.
Expulser la vacuité des suprêmes. Chaque, toute fibre irradie. En apesanteur les pliures se déploient en éventail.

Et si... Alors ! ! Vous mourrez.

La transcendance verticale, horizontale, radiale bruissait. Les premières couches furent-elles apeurées ?

Se replièrent-elles ? Elles feignirent la soustraction, la division.

Accolées l'une à l'autre, chacune s'illusionna : « Moi Pas Toi Sans toi ».

Le verbe naissant grelottait. Il fallait se mettre à l'abri, protéger,

Accumuler.

Les siècles s'écoulèrent. Ils traverseraient les lieux, les temps. Ils parsemèrent la terre d'éclats multiples divers.

La plupart absorbèrent « pour toujours » les paroles des commencements. Leurs corps s'entortillaient dans les éphémères : pêché, bouc émissaire, remords repentir.

Ils s'encroutèrent ; ils ne peuvent plus.

Ils pollueraient. Il ne put en être autrement. Et si....

Aujourd'hui nous ne sommes pas amnésiques.

Aujourd'hui nous savons et nous pouvons.

Les éphémères tirent leurs révérences ; productives elles le furent.

Elles nous basculèrent en Éros Thanatos le temps de notre apprentissage.

Éros Thanatos n'était pas dupe : Thanatos quittera Éros.

Ils s'accroupissaient sur le « DEUX ».

Deux mains deux oreilles deux seins deux reins Deux pieds deux testicules un homme une femme : deux un en deux. Une bouche à plis sans plis se déplie ronronne embrasse vocifère.

Un deux un deux.

Ils attendirent et firent surgir le trois.

Un deux trois. Le père le fils le saint esprit.

0 multiples ! 0 couleurs ! 0 sonorités ! 0 saveurs ! 0 odeurs !

Vous offrandes sublimes, diverses, variées accourant de tous les continents vous ne saisirent ni le chiffre, ni sa contention, ni ses rétrécissements.

Le chiffre balayait tout sur ses passages. Il s'infiltra partout.

Thanatos se gaussait : soustraction addition multiplication division.

37

Ils excellaient en soustractions en divisions...
Régner. Régner Régner Régner Régner Ou moi
ou lui elle eux nous.
Pénurie !

38

Les chiffres légiféraient.
Évidées, boursouflées leurs bourses s'épuisaient
en va et vient incessants.
CAC 40 missile thanatique par excellence concur-
rençait Dracula.
Les chiffres aboyaient : du sang du sang !
Écraser escroquer détruire immoler.
L'idolâtrie sacrificielle titillait le moindre filament
des corps. Payer faire payer. Payer faire payer.
Le pêché s'insinuait.
Les saluts inscrivirent leurs avoirs. Mortels oui
certes, mais pas nus pas dénudés.
Ils ne voulaient pas retourner à la poussière à
l'état brut. Ils transformeraient cette poussière en
or en argent en métaux précieux en...
Finis mais possédants. Ils ne seraient pas venus
pour RIEN
Ils feraient de leur contingence un empire.
Exister Gagner.

39

Les perdants ne purent prétendre.
Que pouvaient-ils exhiber ?
Leurs coffres furent leurs corps.

40

OUI, DU JOUR OÙ

41

Assoiffés d'éros tous, chacun, chacune occultait Thanatos.

Tous les humains peuples, ethnies communautés traçaient des stratégies qui emmurèrent la mort.

Non ils ne peuvent être voués à la mort.

Pourtant ils meurent.

Certes il y eut l'héroïsme du néant l'exaltation de la liberté de choix.

Le néant fut la matrice de l'angoisse, de la responsabilité, de la culpabilité.

« En fait l'angoisse est, selon moi, l'absence totale de justification en même temps que la responsabilité à l'égard de tous ». L'existentialisme est un humanisme. Sartre

Rien ne nous fonde si Dieu n'existe pas.

Nous sommes seuls sans excuse.

Ni fruits de la création ni de l'évolution notre apparition est suspecte inutile contingente.

Coupables d'exister nous avons une seule tâche passer notre existence à nous justifier devant le tribunal du néant.

Coupables d'exister. Coupables de mourir.

La vie n'a pas de sens *a priori* si Dieu n'existe pas.

42

Ô *merveille de la création évolution que nous découvrons dans les premiers versets de la genèse !*
Nul tribunal.
Nulle culpabilité.
Nulle angoisse.

43

Natifs du sixième jour nous sommes riches des cinq premiers jours.
Étoiles eau feu minéral végétal animal voici les émergents du sixième jour.
Les humains.
Elohim dit « Nous ferons Adam le Glébeux à notre réplique selon notre ressemblance ».
Elohim voit tout ce qu'il avait fait, et voici : un bien intense.
Nulle trace de négatif en Dieu de Dieu. Toutes les créatures sont pépites de Dieu.
Les humains. « Brassées du minéral végétal animal » sont bien intense.
Les multiples divers éléments se rencontrent s'organisent. Complexités croissantes aux multiples facettes les humains sourient des joies de Dieu.
En plénitude les émergents du sixième jour palpent leur corps. Embryons de vie ils croissent.
À la réplique de Dieu, encore somnolents, ils s'émerveillent. Profusion de couleurs, de sons, d'odeurs, de saveurs !
Tout oui tout est lien liant liante.

Blottis de Dieu dans les eaux matricielles les naissants déplient leur cordon ombilical.

Tout est lié.

Chaque élément est vibration.

Bactérie, virus, lilas, dinosaure, humain se donnent les mains.

Tout est bon dit et redit le récit de la genèse.

44

Que s'est-il donc passé ?

Brouillages, encombrements fracassent le texte.

Voici Adam et Ève qui déchiquètent le cordon ombilical.

Furieux du retrait de Dieu, de l'antre cosmique ils renversent Le texte, déversant sur lui des élucubrations « mortifères »

Or il n'y a nulle trace de mort dans les premiers versets.

Le texte savoure l'un multiple de la création.

Pour quoi pour qui des lectures si mutilantes furent imposées à tel point que le créateur dut se retirer pour « laisser la place à l'humain ».

S'agit-il de la déréliction dont parle Heidegger ?

Serions-nous jetés dans le monde, abandonnés ?

La pénurie peut-elle être fatalité, essence de l'existence ?

Certes les pénuries sont exclusion : il n'y a pas assez pour chacun.

Il y va de la survie.

Voici la clef de l'adaptation aux pénuries : *LA COMPÉTITION.*

Étrange cette restriction : pas assez d'espaces. Or le récit dit que tout est branchement de Dieu. Qui quoi débranche Adam et Ève.

Ont-ils été débranchés ? Se sont-ils débranchés eux-mêmes ? Et pourquoi ont-ils voulu s'exclure du créateur ?

Que peut signifier vouloir sortir de la vie matricielle de Dieu en Dieu ?

Le vouloir suffit-il au pouvoir. Vouloir est-ce pouvoir ?

Pouvons-nous couper les cordons ombilicaux ?

45

Le pouvoir est-il la mesure de la puissance ?

« Chaque chose s'efforce de persévérer dans son être (Autant qu'il est en elle) ». Spinoza

Couper le cordon est-ce augmenter sa puissance d'être,

Est-ce l'affirmation de la vie, de ma vie ?

La coupure n'est-elle pas la condition même de l'avènement du moi, du je.

« J'existe nom de Dieu » s'écrie Christian Saint Sernin.

Ainsi Dieu doit se mettre en retrait pour qu'Adam et Ève puissent prendre conscience de leur individualité.

Le retrait, la coupure sera le verbe fondateur de l'humanité.

De Dieu l'humanité doit s'extraire.

Le retrait est mémoire.

Adam et Ève sentent l'exil, la perte, le manque.

Souvenons-nous qu'émergés au sixième jour ils étaient De Dieu, en Dieu.

Dieu les a-t-il rejetés ? Pourquoi ?

Adam et Ève ont-ils repoussé Dieu ? Pourquoi ?

Et pourtant ils sont à la réplique de Dieu, à sa ressemblance ? Dieu lui-même serait-il en exil ?

Interrogation inepte puisque Dieu ne cesse d'affirmer « Elohim voit tout ce qu'il avait fait, et Voici : un bien immense ».

Nulle trace, nul interstice, nulle place au manque.

Plénitude est Dieu. Plénitude est la création.

Dieu est Éros.

De Dieu Adam et Ève sont Éros.

Éros est la langue unique, universelle.

46

Éros parcourt le cosmos, en sautillant, en dansant Tout est bon.

Nul retrait. Nul exil en Éros.

Éros ? Éros ?

« Les hommes meurent et ils ne sont pas heureux » – (Camus dans Caligula).

Comment les premiers versets osent occulter Thanatos ?

De quel droit dieu peut-il se réjouir ?

La création ne serait que la servante de Thanatos.

Éros est une illusion, un stratagème au service de Thanatos.

Éros Thanatos sont l'alphabet authentique, véritable des vivants.

Thanatos se rit d'Éros.

Thanatos n'est-il pas le programme génétique des vivants ! Comment le récit de la genèse peut-il prétendre défendre Éros ? N'ose-t-il pas planter l'arbre de la vie dans le jardin d'Éden ?

L'ARBRE DE LA VIE.
Non pas l'arbre des vivants mais l'arbre de *la vie*.
Nul arbre de la mort.
L'arbre de la vie ne suffit pas. Il côtoie l'arbre de la connaissance du bon et du mauvais.
Mauvais... Quel terme étrange, étranger aux oreilles d'Adam et Ève.
Jusqu'alors les mots bons, bien, titillaient leurs oreilles.
Ils émergèrent de la torpeur d'Éros dans un fracas invraisemblable.

47

« De tout arbre du jardin tu mangeras, tu mangeras, Mais de l'arbre de la connaissance du bien et du mal, Tu ne mangeras pas,
Oui, du jour où tu en mangeras, tu mourras, tu mourras »
(2. Jardin en Éden)

Désormais un effroyable Tohu-bohu agiterait les humains nés au sixième jour.
Comment pouvait surgir l'arbre de la connaissance du bon et du mauvais ?
Jusqu'alors le texte ne parle que de bon de bien.
À la réplique du créateur ils ne peuvent connaître que le bon le bien.
Le mauvais ne peut être objet de connaissance.
Le mauvais est ignorance, méconnaissance.
Les premiers versets nous auraient-ils trompés pour nous séduire ?
Bon. Bien. Plénitude sont-ils uniques ?
Cette répétition, cette ritournelle, cette litanie n'occultent-elles pas la présence du double

inversé de Dieu : Satan lové dans le serpent. Le serpent brisant, du moins tentant de briser le bien invente un nouveau vocable « mauvais ».

Soyons rassurés, mauvais est totalement étranger à Dieu. Le piège fabuleux du serpent est de glisser le mauvais sous l'ombelle de la connaissance et d'insinuer ainsi le double, la dualité ; pour tout dire le choix entre le bien et le mal.

48

La connaissance est-elle choix, l'ignorance est-elle choix.

L'interdiction de toucher à l'arbre de la connaissance du bon et du mauvais n'est pas dictée par Dieu.

Cela ne se peut.

Pour Dieu le bien, le bon seul est connaissance.

Connaître est baigner dans le bien.

À la réplique de Dieu est la connaissance.

Connaître est anamnèse de la matrice cosmique.

Platon n'évoque-t-il pas le « monde des idées où le bon le bien, le vrai dansaient ensemble ».

Dieu n'a jamais pu interdire de toucher à l'arbre de la connaissance du bien.

Le bien est connaissance la connaissance est le bien.

Dieu n'a jamais pu interdire de toucher à la connaissance du mal car il ignore le mal.

Qui a pu prononcer cette interdiction et pourquoi ?

Il y va de la survie des humains.

Comment les cerveaux des natifs du sixième jour n'ont-ils pas explosé ?

À la réplique de Dieu et en même temps mortels.

Ne sommes-nous pas créatures de Dieu et de Satan. Nous oscillons entre Dieu et Satan : le bon et le mauvais.

Nous élaborons ainsi la dualité, toutes les formes du dualisme.

La mort n'est pas de Dieu en Dieu.

49

Nous n'étions pas créés pour mourir
Nous sommes mortels car nous avons désobéi.
Nous avons choisi de transgresser le « PSEUDO ORDRE DIVIN ».
Si...

« Oui du jour où tu en mangeras, tu mourras, tu mourras »
Dieu est totalement étranger à la mort. La mort n'est pas de Dieu, en Dieu.
La vie est Dieu, de Dieu.
Nulle création de la mort.

Si le mal n'existe pas en Dieu, de Dieu comment comprendre la férocité des versets 16 et 17.

Yavé Elohim ordonne au glébeux pour dire :

« De tout arbre du jardin, tu mangeras, tu mangeras, mais de l'arbre de la connaissance du bien et du mal tu ne mangeras pas, Oui, du jour où tu en mangeras, tu mourras, tu mourras. »

Est-ce vraiment Dieu qui ordonne, interdit ?

Que peut signifier la conjonction ET entre l'arbre de vie et l'arbre de la connaissance du bien et du mal ?

N'y a-t-il pas une rupture totale dans le dire de l'arbre de vie plein de suavité et de légèreté et la parole si menaçante, si impitoyable de l'arbre de la connaissance du bien et du mal ?

Ce passage bouleversant est une véritable énigme.

En réalité nous avons affaire à deux interlocuteurs.

Le dire de Dieu est l'arbre de vie.

La parole de l'arbre de la connaissance du bien et du mal est celle des natifs du sixième Jour.

L'arbre de vie est l'ADN d'Adam et Ève et de tous les vivants.

Il se nomme plénitude.

La mémoire de l'arbre de vie est spatiale.

Elle est indifférente à la temporalité.

ÉTERNITE tisse la mémoire spatiale de l'arbre de vie.

Ne sommes-nous pas à la réplique de Dieu !

L'éternité est Dieu. Dieu est savoir cosmique des liantes.

Ainsi l'éternité est-elle immanente !

Les émergents du sixième jour sommeillent dans
la plénitude se délectent d'Éros.
Sont-ils en proie à des hallucinations ?
Non. Oui. Comment. Où. Qui ? Quoi ?
Le réveil est terrifiant.
« Les hommes meurent
Et ils ne sont pas heureux » Camus
Furieux désormais, ils ne peuvent accuser Dieu.
« Tout est bon tout est bien » dit et redit Dieu.
Alors commence le temps. La mémoire tempo-
relle se constitue petit à petit, inconsciente de la
mémoire spatiale.
Les humains naissants édifient l'arbre de la
connaissance du bien et du MAL.
Le mal est, sera l'emblème des humains.
La mort est leur fait. Mortels ils sont parce qu'ils
ont désobéi. Pourquoi ont-ils désobéi ? Pou-
vaient-ils agir autrement ?
OUI ! Car ils ont la liberté de choix.
Ayant *le* choix comme « liberté » ils sont coupa-
bles d'avoir transgressé.
Le choix explicite, met en exergue dans le récit
de la genèse une étrangeté LE MAL.
Le mal humain rivalise avec le bien divin.
Ils édifièrent des stratégies verbales qui leur per-
mettent d'accepter leur mortalité.

Mort = coupable = responsable.

Chute. Faute. Pêché... Accompagnent l'humanité fière glorieuse frétillante de son pouvoir : le choix comme unique expérience de sa liberté.

Le pouvoir est la plus habile, la plus efficace stratégie pour supporter sa finitude.

Tout pouvoir signale, signe que j'existe, que je compte.

Comment pouvoir être reconnu hors du pouvoir ?

Les premiers de cordée ne sont-ils pas ceux qui l'emportent sur les autres ?

Le slogan du pouvoir n'est-il pas la dualité entre les gagnants et les perdants.

Le choix comme pouvoir, le pouvoir du choix incrustent le mal. Nos tatouages culpabilité, tragique, faute sont les assises de notre Survie.

Survie bien éloignée de l'arbre de vie certes, mais qui cligne de l'œil, qui ne cesse de cligner de l'œil vers Éros.

Assoiffés d'Éros, nous savons que nous sommes mémoire spatiale Cosmique.

Mais qui, quoi nous fait sortir de notre mémoire spatiale, de l'être

De la plénitude ?

Dieu ? Cela ne se peut. Il est plénitude qu'il partage avec les humains puisque nous sommes à sa réplique.

Le partage ne peut être encore présent, présence pour les vivants du sixième jour.

Le partage est promesse, appel, certitude.

Nulle trace de doute sur la présence, la plénitude, l'être.

Les vivants cheminent vers la vie, l'arbre de vie.

D'où surgissent-ils, d'où viennent-ils ?

D'Ève et d'Adam certes.

Ève porte les naissants ; elle ose engendrer des vivants. Or naître n'est-ce pas mourir comme dit Montaigne ?

La dualité éros thanatos ne peut être que le fait d'Ève. Les mortels sont les naissants, sortis de l'utérus.

Ève pactise-t-elle avec le serpent ?

Versets 2 à 5

La femme dit au serpent :

« Nous mangerons les fruits des arbres du jardin, mais du fruit de l'arbre au milieu du jardin, Elohim a dit :

« Vous n'en mangerez pas, vous n'y toucherez pas, afin de ne pas mourir. »

Ève désobéit à l'interdiction, elle entraîne Adam.

Verset 7 « Les Yeux des deux se dessillent, ils savent qu'ils sont *nus*.

Ils cousent des feuilles de figuier et se font des ceintures. »

Cachent leurs organes génitaux.

Honte sur le corps, honte du corps ? Le corps voué à la mort n'est-il pas le mal ? Thanatos est le mal. Le mal est la mort.

Dieu ne peut tolérer la désobéissance des natifs du sixième jour. Du verset 15 au verset 20 nous assistons à une éruption verbale volcanique, un véritable tremblement de terre.

La punition sera totale irréversible.

Verset 19 « Oui, tu es poussière, à la poussière tu retourneras. »
Terrifiante cette punition, cette exclusion de l'arbre de vie, de la mémoire spatiale cosmique.

Se produit alors un total retournement provoqué par Adam.
Verset 20 « Le glébeux crie le nom de sa femme : Hava-Vivante. Oui, elle est la mère de tout vivant ».
Adam défie-t-il Dieu ?
Adam ne dit pas Hava-vie ; il dit Hava-vivante.
Elle est la matrice de tout vivant. Dieu tout penaud ne dit rien.
Verset 21 « Elohim fait au glébeux et à sa femme Des aubes de peau et les en vêt. »

Dieu -plénitude peut-il être cet interlocuteur emporté par une Furie vengeresse ?
Non ! La plénitude n'est pas l'autre du manque.
L'être n'est pas l'envers du non-être.
DIEU PLÉNITUDE ÊTRE ÉROS est Affirmer la vie. Bénir la vie.
Quel est donc cet interlocuteur si belliqueux, si intransigeant ?
Le serpent peut-être ?

Le serpent ne menace nullement Ève de la mort ;
bien au contraire
Verset 4. Le serpent dit à la femme :
« Non, vous ne mourrez pas, vous ne mourrez pas »
Si les interlocuteurs ne sont ni Dieu ni le serpent,
qui parle ?
Quel est cet intrus qui ne cesse de menacer, d'exclure ?
Verset 24 « Il expulse le glébeux
Et fait demeurer au levant du jardin d'Éden les
Keroubim et la flamme de l'épée tournoyante
pour garder la route de l'arbre de Vie. »
L'intrus ne figure nullement dans les chapitres
1) SEPT JOURS ni dans 2) LE JARDIN EN
ÉDEN jusqu'au verset 9
« et l'arbre de la connaissance du bien et du mal ».

L'intrus n'est que violence, dissensions, séparations.
Les versets 16 et 19 sont une véritable catastrophe.
Que dit l'intrus en pleine démence ?
Verset 16 « À la femme, il a dit : Je multiplierai,
je multiplierai ta peine et ta grossesse, dans la
peine tu enfanteras des fils, à ton homme, ta pas-
sion : lui, il te gouvernera.
Verset 19 « À la sueur de tes narines, tu mangeras du
pain jusqu'à ton *retour* à la glèbe dont tu as été pris.
OUI, TU ES POUSSIÈRE, À LA POUSSIÈRE
TU RETOURNERAS.
Le récit, plutôt la logorrhée de l'intrus est radi-
cale totalitaire.
*La mort est la conséquence de la connaissance du bien
et du mal.*
Rendons grâce à l'intrus qui met en exergue que
la mort n'est pas une création. Elle ne figure pas
au programme génétique de l'évolution.

D'une certaine manière l'intrus ne fait aucun procès.

Il n'accuse ni Dieu ni le serpent. Il a saisi la puissance des deux discours sur l'éternité.

Les natifs du sixième jour sont les intrus.

Pourquoi cette intrusion source de douleurs, de servitudes, et d'esclavages ?

Les douleurs de l'enfantement, le travail à la sueur du front ne font pas partie de la création-évolution.

Elles sont conséquences : elles se nomment *punitions*.

Mais de quoi sont-ils punis ? Qui les punit ?

Ni Dieu ni le serpent.

Ils imaginent qu'ils sont punis parce qu'ils ont gouté à l'arbre de la connaissance du bien et du mal.

Or nous avons montré que la connaissance du bien ne peut être objet de châtiment puisqu'elle s'inscrit dans la joie de Dieu

SEPT JOURS versets 26 « Nous ferons Adam : le Glébeux »

À notre réplique, selon notre ressemblance.

Verset 27 « Elohim crée le glébeux à sa réplique,

À la réplique d'Elohim il le crée,

Mâle et femelle, il les crée. »

Quant à la connaissance du mal, elle est un non-sens car le mal est l'impensé radical. Il ne peut appartenir à la connaissance. Que signifie donc cette fiction de la punition pour les émergents Humains ?

Le cerveau des vivants du sixième jour émergé de la mémoire spatiale est en apprentissage.

Les vivants sont en route vers la vie, vers l'arbre de vie. En route trace les sentes du temps.

Ce qui est remarquable est le sens de la direction. Elle est certitude.
À la réplique de Dieu les natifs du sixième jour cheminent. Le temps se déploie en passé, présent, futur.
La mémoire cosmique fait silence.
Ludique, elle feint de laisser la place à la mémoire temporelle. La traversée des natifs du sixième jour se joue entre ces deux Mémoires « cosmique matricielle et temporelle.
Les apprentis humains baignent somnolent dans les eaux intemporelles.
C'est cette somnolence qui résonne dans leurs oreilles. Ils n'arrivent pas à la dire, à la décrypter, décoder.
Comment le pourraient-ils ?
Ne sont-ils pas naissants ! Ne sont-ils pas mortels !
Ils ne sont encore que des vivants promus à la mort.
Ils ne sont que des survivants affamés de l'arbre de vie. Alors se mettent en scène les figurines de l'ignorance.
La plus goûteuse s'avance royale forte fière de ses pouvoirs.
Elle se nomme MAL. Mal indétrônable incrusté dans la chair.
À jamais.
La chorégraphie autour du mal est somptueuse.
Péché chute s'inclinent radieuses.

58

En cercle, en rondes frénétiques tournoient la culpabilité, le libre arbitre, la faute et leurs suivantes le remords, le repentir.

Les natifs du sixième jour ne renonceront jamais à l'arbre de vie. Ils ne le peuvent.
La mémoire temporelle scande la traversée des vivants à la vie.
Il ne s'agit en aucun cas de « retrouvailles ».
Il n'y jamais eu de perte. Tout n'a jamais été accompli, réalisé. Les humains n'ont rien à RÉPARER. La réparation suppose totale Réalisation.
Les vivants du sixième jour n'ont rien détruit. Ils n'ont rien à réparer.
Parler de réparation, de séparation est ignorance, parfois oubli. Les premiers versets sont limpides : les vivants se constituent, se complexifient.
La complexité est enrichissement, ouverture, expansion.

Les vivants humains promus à la mort... SI... vont inventer des stratégies. La stratégie la plus efficace est LE MAL dans toutes ses diversités.
Le seul absolu que les humains peuvent accepter est le MAL. Le mal est indomptable ; il est constitutif du principe de réalité.
Le mal est la mort. La mort est le mal.
Comment exister continuer d'exister avec le mal, avec la mort ? Ils oscilleront entre Éros et Thanatos étant certains que thanatos est pouvoir absolu.

59

Aveugles, sourds ils sautent au-dessus du « *SI* ».
Ainsi vont-ils se vautrer se pétrifier dans le mal.

Indépassable à tout jamais, le mal va défaire,
découdre Le texte, le tissu des synapses.
Ni racines, ni rhizomes petits poucets en errance
chacun est seul sans excuses.
Prouver son existence à tout prix est le seul mode
d'être. Tous les moyens sont bons « j'existe non
de Dieu ».
Être reconnu pour, par n'importe quel geste,
quelle action !
L'ENFER C'EST LES AUTRES
L'individualité va se montrer, s'exhiber dans
toute sa force sa particularité.
L'individu doit l'emporter sur l'autre individu s'il
veut être reconnu, s'il veut exister.
Laisser sa trace.
Tous les jeux de pouvoirs se mettent en place.
Écraser l'autre tout vivant. Asservir tantôt maitre,
tantôt esclave. Ne sommes-nous pas sadomaso-
chistes par nature enfants prodiges de notre
maître absolu le mal.
Le pouvoir est notre carte d'identité.
Sans pouvoir vous restez aux frontières. Nulle
terre d'accueil pour les nus pour les perdants.
Le manque de volonté est la nourriture la plus
abjecte des perdants. Désormais : un seul mot
d'ordre parcourt notre terre.

SI TU VEUX TU PEUX.
Vous les pauvres, les affamés, les asservis, les exclus, les ratés, les derniers de cordée vous n'avez que ce que vous méritez.
Indignes d'exister puisque vous n'avez aucun pouvoir sur...

Tout pouvoir est lié à la volonté.
La volonté est-elle innée, y at-il un gène volonté dont certains seraient dépourvus ?
La volonté est-elle acquise, comment ?
L'inégalité entre les humains aurait pour unique cause « le vouloir ou le non-vouloir ».
En quoi consiste exactement la volonté ?
Quels sont ses liens avec la puissance, la connaissance ?
A-t-elle-même des liens quelconques avec d'autres facultés ?
La volonté n'est-elle pas plutôt une entité totalement autonome indépendante de tout rapport, de tout ancrage qu'en elle-même ?
Écoutons Descartes « Car elle consiste seulement en ce que nous pouvons faire une même chose ou ne la faire pas... Ou plutôt elle consiste seulement en ce que, pour affirmer ou nier, poursuivre ou fuir les choses que l'entendement nous propose, nous agissons de telle sorte que nous ne sentons point qu'aucune force extérieure nous y contraigne. Car afin que je sois libre, il n'est pas nécessaire que je sois indifférent à choisir l'un ou l'autre des deux contraires ;
mais plutôt, d'autant plus que je penche vers l'un, soit que je connaisse évidemment que le bien et le vrai s'y rencontrent, soit que Dieu dispose ainsi

l'intérieur de ma pensée d'autant plus librement j'en fais choix et je l'embrasse ; et certes la grâce divine et la connaissance naturelle, bien loin de diminuer ma liberté, l'augmentent plutôt et la fortifient.

[...] car si je connaissais toujours clairement ce qui est vrai et ce qui est bon, je ne serais jamais en peine de délibérer quel jugement et quel choix je devrais faire, et ainsi je serais entièrement libre, sans jamais être indifférent » (Méditations) (IV)

61

La liberté nous dit ce passage, est d'autant plus intense qu'elle se fortifie par la connaissance.

Le pouvoir de choix ne dit rien de la liberté ; en aucun cas le choix ne peut prétendre à aucune forme de liberté.

Le choix est une errance de l'ignorance. L'ignorance ne dit rien de la liberté.

Seule la connaissance du bien, branché sur l'arbre de vie est Liberté.

Adam et Ève sont-ils libres de désobéir à l'interdit ce pseudo-interdit de Dieu ?

Dieu n'a jamais pu interdire car il sait le chemin des humains Vers l'arbre de vie, seule véritable liberté.

Nul interdit divin.

Adam et Ève n'ont rien eu à choisir puisqu'il n'y a jamais eu d'interdit. Nulle transgression, nulle chute, nul pêché, nulle culpabilité.

Quel est ce poids si lourd à porter ?

Qui en sont les auteurs ? Nous n'avons plus à poser cette question. Péché, chute, rupture, exil etc... sont les saveurs verbales au service d'Éros, Éros toujours, Éros éternel.

Ces mots sont incandescents, ils enflamment l'humanité dans des ballets interminables.

Le bouc émissaire traverse tous les continents.

Non ! Non ! nous ne pactiserons jamais, jamais.
Éros est notre puissance, notre génome.
Verset 17 « [...] du jour où tu en mangeras tu mourras, tu mourras.

La mémoire spatiale ne connaît ni le passé ni le présent, ni le futur.
Elle est fluide, liquide.
Elle est la matrice de la mémoire temporelle.
Mémoire qui traverse, qui lie.
Elle n'est ni souvenir, ni nostalgie, ni urgence des retrouvailles
ELLE EST.
Elle est constitutive de la mémoire temporelle.
Verset 17 annonce la mémoire temporelle
« du jour où tu en mangeras tu mourras tu mourras »
De « ce jour où » jaillirent les fabuleuses constructions au service d'Éros.
La puissance d'Éros, de l'arbre de la vie se manifeste avec éclat en mémoire temporelle.
En effet relisons les fameuses punitions.
Verset 16 « À la femme, il a dit : Je multiplierai, je multiplierai ta peine et ta grossesse, dans la peine tu enfanteras des fils »
Verset 17 [...] 19 « Au glébeux, il dit « À la sueur de tes narines
Tu mangeras du pain [...] »
Les punitions ont un accent impitoyable : pour toujours à jamais. Or les natifs du sixième jour vont faire l'expérience qui va démentir
la férocité des punitions.

Enfanter dans la peine n'est plus un absolu aujourd'hui ; bien au contraire.

La servitude n'est plus un absolu aujourd'hui pour la satisfaction des besoins alimentaires.

La férocité des punitions est un hurlement contre le fait d'être des mortels. Pourquoi les humains ont eu un fou besoin d'halluciner toutes sortes de récit pour contourner la mort ?

Les versets de la genèse 2) Verset 1 jusqu'à la quatrième ligne du verset 9 « et l'arbre de la connaissance du bien et du mal », s'inspirent de la mémoire intemporelle.

Ces versets s'écrivent en plénitude. Ils sont haleine de vie.

Ils ont la saveur, le gout de l'éternité.

L'insoutenable procès d'Adam et Ève qui suit est inintelligible.

Ce procès est celui de Thanatos.

Qui est ce misérable intrus qui roderait autour de l'arbre de vie ? Est-il une nouvelle création, une ancienne, quels liens peut-il avoir avec ces natifs du sixième jour ?

Thanatos est un non-être et pourtant nous sommes mortels. Le récit de la genèse est époustouflant dans sa « vitalité »

Il est une merveilleuse ode à ÉROS.

Les cerveaux des émergents du sixième jour sont foisonnants.

Que n'inventent-t-ils pas au nom d'Éros ?

La réparation des vases brisés.

Le retrait de Dieu pour laisser la place aux natifs du sixième jour.

Ainsi hallucinent-ils « AVANT ».

Avant glapit la faute le péché.

64

Avant !
Pourquoi avant serait-il symptôme de perte ?
Avons-nous expérimenté dans notre chair cet
avant ?

Le cordon ombilical est cet « avant ».
Il écrit les liens des six premiers jours.
Natifs du sixième jour nous sommes de Dieu de
la Nature comme dit Spinoza dans l'Éthique.
Nulle coupure !
La coupure, le manque, la perte *incrustent* la
mémoire temporelle. Mémoire temporelle au
service de la mémoire spatiale, au service d'Éros.
Baignant dans les eaux cosmiques du liquide
amniotique, nous cheminons.
Oui « AVANT » est l'ADN des temps dits
messianiques.
Aujourd'hui les recherches scientifiques confir-
ment notre expérience plus ou moins incons-
ciente de cet AVANT.
Nulle déréliction, nulle contingence, nous ne
sommes pas seuls jetés dans le monde.
AVANT TOUJOURS branchés de multiples aux
multiples, nous nous expérimentons chacun dans
son individualité.
Toujours branchés ! ! La mort ne dément elle pas
ces délires ?
Autour de l'avant, du cordon ombilical ?
La finitude pour tous pour toujours.
Avant pour chacun pour toujours.

Comment résister à de telles affirmations ; comment ne pas sombrer dans la désespérance ?

Écoutons le verset 17 chapitre 2.
« Oui du jour où [...] tu mourras, tu mourras ».
La pulsion de vie qui anime ce verset est la clef de l'homme à la réplique de Dieu.
Si la pulsion de vie est notre unique ADN comment peut-elle être détruite ?
Ce verset est la confirmation de l'unique, de la pulsion de vie, d'Éros.
Elle n'est jamais détruite comme en témoigne l'arbre de vie dans l'Éden.
Mortels nous sommes parce que. Pourquoi ?
Parce que. Nous voguons désormais dans les chemins de la connaissance.
Nul hasard / Nulle liberté de l'ignorance / Nul pouvoir de choix / « Ni pleurer, ni rire mais comprendre. » (Spinoza)
Comprendre comment notre pulsion de vie, notre conatus traverse les temps, le temps au service d'Éros.
« Chaque chose s'efforce de persévérer dans son être (autant qu'il est en elle). »
Persévérer dans son être est augmenter sa puissance d'être. Augmenter sa puissance d'être est source de joie, sentiment d'appartenance à l'arbre de vie.
Tristesse, mélancolie [...] ne sont que diminution de notre puissance d'être.

Si tous nos vécus aspirent à la joie notre seule action est de détecter les causes qui entravent cette aspiration.

Le verset 17 « Oui du jour où [...] tu mourras, tu mourras »

Est fondation, unique socle de tout apprentissage, de toute pédagogie.

Parler de causes interroge nécessairement sur l'inné et l'acquis. La puissance d'être de chacun est-elle le seul fruit du programme génétique ?

Nous savons aujourd'hui que le soi-disant « TOUT GÉNÉTIQUE »

est une idéologie qui n'a rien de scientifique.

La puissance dépend essentiellement d'une multitude de facteurs environnementaux.

Les scientifiques nous expliquent que l'épigenèse joue un rôle fondamental.

L'épigenèse est source d'interrogations diverses, multiples.

Tout questionnement sur notre puissance d'être témoigne.

LE MAL, LE MAL RADICAL ne peut souiller d'aucune manière notre Être. Il n'a aucune substance.

« Tout ce qui arrive est ce qui doit arriver ».

Cette affirmation ne signifie nullement l'asservissement à une quelconque fatalité. Bien au contraire.

Ni fatalité, ni culpabilité, ni résignation, ni renoncement ! C'est ainsi que nous saisissons avec enthousiasme le verset 17 Chapitre 2 « Oui du jour où [...] tu mourras, tu mourras ».

Si tu [...] alors tu mourras, tu mourras.

La mort « doit arriver » si [...]. Elle est conséquence, conséquente. Les natifs du sixième jour
comprennent petit à petit qu'ils ne sont pas achevés,
en plénitude. Ils tâtonnent, expérimentent.
Ils avancent d'apprentissage en apprentissage.
Comment détecter ce qui fortifie notre pulsion de
vie au sein de cette multitude environnementale.
Comprendre les liens les liants les liantes.
Branchés, branches de Dieu ils observent toutes
les déliaisons. La déliaison est une bifurcation.
Déliaisons, bifurcations ne sont pas le visage du
mal, du péché. Elles sont conséquences.
Le verset 17 ne peut être que stimulant, foison-
nant, bouillonnant. Comprendre les enchaine-
ments est puissance d'être.
Enroulés autour du cordon ombilical nous
déplions, déployons les alphabets de l'arbre de
vie, ces graines d'éternité.
Éternité est Éros
Éros est totalement étranger à la non-mort.
L'immortalité est le symbole du pouvoir, écriture
du débranchement.
N'est-ce pas la quête infantile des Trans
humanistes ?

67

Graine d'éternité habite la joie.
La joie d'être éparpille les graines d'éternité.
Toute pédagogie est transmission de la joie
d'exister.
Amour de soi à la mesure du cosmos, de Dieu.
Amour du prochain à la mesure de l'amour de
soi.

Connaissance du bon et du mauvais ?
L'immortalité n'est-elle pas apologie du moi,
exacerbation du moi ?

Si le moi est « Haïssable » que veut nous dire le
Lévitique, chapitre 19 verset 18
« AIME TON COMPAGNON COMME
TOI-MÊME »
TOI-MÊME est-il programmé génétiquement,
est-il inné ? Se construit-il petit à petit ? Comment ?
Quels sont les mets, les mots qui vont offrir
l'amour ?
« Va vers toi » dit le cantique des cantiques.
Tous les sens sont aux aguets. Ils sentent, ils goû-
tent, ils reniflent, ils entendent, ils écoutent, ils
regardent, ils voient.
Tout vécu en expansion en ouverture est puis-
sance. La puissance est l'écriture de l'amour de soi.
La puissance dit la puissance. Elle ne peut en
aucun cas se confondre avec le pouvoir.
Tout amour de soi est amour d'autrui, de la
nature, du cosmos. La puissance de soi stimule la
puissance de chacun.
Nulle concurrence, nul désir de l'emporter sur,
d'écraser. Ainsi le pouvoir ne dit rien de la
puissance.
Le pouvoir ignore sa puissance.
Il signe son impuissance car sa quête est manque
permanent.
Certains humains n'osent-ils pas prétendre que
le manque est fondation de notre existence.
Seul le manque nous permet d'apprécier le plein,
la satisfaction. Défilent ainsi tous les couples,
tous les duels : maladie santé ; joie.

Tristesse [...]
Toutes ces « FAKE NEWS » sont les ingrédients indispensables qui nous permettent de
servir ÉROS.

Éros s'amuse de tous ces dualismes, toutes ces
dualités
Thanatos lui-même se fait complice du
« DUALISME »
Il sait qu'il n'a qu'un temps qu'il est fini.
THANATOS est un non être.
Thanatos excrète la temporalité : passé présent
futur. Il est mémoire temporelle
Cette mémoire temporelle est la traversé de l'amour
de soi, traversée des déliaisons, des bifurcations.
Elles ne cessent d'interroger. Elles ne peuvent se
taire, rester silencieuses.
La mémoire cosmique spatiale veille.
Est-elle gardienne de l'arbre de vie ?
N'est-elle pas plutôt la sève de l'arbre de vie !
Écoutons le verset 24 (Chapitre 3) de la Genèse
« IL expulse le glébeux
Et fait demeurer au levant du jardin d'Éden les
Keroubim et la flamme de l'épée tournoyante
Pour garder *la route* de l'arbre de vie »

Les natifs du sixième jour bouillonnent d'impa-
tiences.
MORTELS parce que [...]
Ils déclinent leur culpabilité sous tous les tons
dans toutes les formes.
Expulsés honnis par la création évolution.
Pour toujours, à jamais.

70

Les Keroubims leur interdiront tous les accès à l'arbre de vie.
Pour toujours, à jamais ?

Comment ne pas haïr la création évolution !
Comment ne pas se haïr se maudire ?
Cioran ne parle-t-il pas de l'horreur d'être né !
Que de symphonies, plutôt de dysphonies allons
-nous entendre !
Contingence, déréliction, exil...
Pour tout dire expulsés de la matrice.
La naissance sera vécue comme un rejet de l'antre.
Les Keroubim sont en alerte permanente.
Rejetés parce que coupables. Nés mortels parce que coupables Adam et Ève ne pourront jamais emprunter la route de l'arbre de vie.
Quel est cet interlocuteur qui punit ? De quoi de qui se venge-t-il ?
S'agit-il vraiment de ce Dieu vengeur que certains incultes attribuent à la genèse ? Il n'en est rien.
« Elohim voit tout ce qu'il avait fait et voici : un bien intense [...] Sept jours » chapitre 1 Verset 31 Dieu est innocent.
Si Dieu est innocent, si ce n'est pas lui qui interdit la route de l'arbre de vie qui sont ces KEROUBIM, d'où viennent-ils Ne sont-ils pas des émissaires de la création évolution ?
Quels rôles jouent-ils dans la traversée des natifs du sixième jour.
Se sont-ils incrustés dans l'arbre de vie ? Cela ne se peut.

Ne sont-ils pas plutôt en attente ?
Ils savent que la traversée des cinq premiers jours
est délicate, malhabile. Ils sont indulgents envers
ces humains du sixième jour.

Les Keroubim sont en réalité les pédagogues au
service d'Éros. Ils sont les liants entre la mémoire
temporelle et la mémoire utérine, Cosmique.
« Les vivants sont en route vers la vie.
Les natifs du sixième jour danseront autour de l'arbre
de vie.
Ils ne sont jamais sortis hors du cordon ombilical, du
cosmos.
Tous les vivants sont de la Nature, de Dieu. »
Ne cessent de dire et redire les gardiens d'éros
les Keroubim.
Ils se moquent gentiment des stratégies imagi-
nées par ces derniers Vivants - les humains.
Expulsés de l'arbre de vie. Coupables à jamais
Mortels pour toujours.
NON ! NON !
La marche d'Adam et Ève est pesante lourde
d'ignorances. Que signifie donc la présence des
gardiens de l'arbre de vie ?
Les cerveaux des vivants du sixième jour
ces embryons synaptiques, ces synapses
embryonnaires n'ont pas encore la puissance de
saisir la présence des Keroubim.
Ces sublimes pédagogues assistent les cerveaux
naissants.
Que de court-circuit !
Que d'embrasements autour du feu de l'ignorance
Ils admirent ces humains dont le cerveau
n'explose pas.

Cette joie qu'éprouvent les Keroubim, ces gardiens de l'arbre de vie est ineffable. Les versets sont l'écriture de nos cerveaux bouillonnants, en folie.

Ils nous apprennent que la mort n'est pas fatale, qu'elle n'est pas inscrite dans la création-évolution. L'arbre de vie témoigne, confirme le récit ; il en est la substantifique moelle.

L'évolution des vivants s'amplifie de jour en jour. Les émergents du sixième jour ont une complexité plus féconde. Leur puissance est plus riche de liens, d'ouvertures.

La puissance des humains est à la réplique de Dieu, de la création- évolution.

Le récit de la genèse ne pactise d'aucune façon avec Thanatos De quelle puissance parlons-nous ? Écoutons l'étymologie (*Dictionnaire Étymologique de la langue Française*, L. Cledat)

« Le participe présent avait deux formes : potentem qui a donné pouvoir et possientem qui signifie puissance. »

Il ne peut s'agir d'imiter un quelconque pouvoir divin.

Dieu développe-t-il un pouvoir ? Le pouvoir ne peut concerner Dieu.

Tout puissant est Dieu car il déploie toute sa puissance.

À la réplique de la puissance de Dieu est la fondation de toute éducation, de toute pédagogie.

Nulle folie, nulle hallucination dans le récit de la genèse !

En effet le verset 17 Chapitre 1 Sept jours rebondit sur le verset 17 Chapitre 2 Jardin en Éden

« À la réplique d'Elohim » certifie la suspension de la mort.

73

« Oui du jour où... » *Avant* ce jour, *après* ce jour ? Où étions-nous avant ; nous étions en train de nous déplier.

Étoiles, minéral, végétal, animal se réjouissaient du nouveau Vivant.
Ces natifs du sixième jour murmuraient de nouvelles configurations.

À tâtons les cytoplasmes, les noyaux, les mitochondries s'articulaient.
Les circuits neuroniques se délectaient.
Toutes ces liaisons virtuelles, potentielles autour des dendrites, des synapses !
Pas à pas leur cerveau s'essayait.
Leurs organes étaient souvent bruyants, silencieux parfois.
Ils cherchaient, découvraient.
Ce qui convient, ce qui ne convient pas.
Leurs sens aux aguets ils erraient de diversité en diversité.
Ils expérimentaient le foisonnement des vivants. Ils n'étaient pas isolés, individus jetés de rien, du néant.
Les cinq premiers jours étaient leur richesse.
Ils apprirent à bénir l'évolution, les multiples.
Ils baignaient, embryons à peine nés dans les fluides de la création.
Tout est bon. Tout est bon inondait leur tympan.
Certes ils comprirent le vocable bon assez rapidement.

Ils en faisaient constamment l'expérience en triant ce qui convenait, ce qui ne convenait pas à leur conservation.

Ils s'interrogeaient. Leur tympan n'était-il pas défectueux ?

Pour eux tout n'était pas bon à leur conservation.

74

Peut-être étaient-ils encore, juste naissants !

La voix n'était-elle qu'un leurre ?

Non ! Rien ni personne ne pouvait vouloir porter atteinte à leur persévérance.

« Tout est bon »

Est la clef de l'apprentissage de la mémoire temporelle des Natifs du sixième jour.

Aujourd'hui, Adam et Ève ne peuvent saisir toute la volupté de cette affirmation.

Ils construisent le demain, le futur.

Le futur pourra peut-être déployer la présence de l'être, l'être dans sa présence.

Ces murmures glissent vers des zones inconnues du corps.

Ils ne cesseront jamais d'inspirer les narines des humains.

Aussi Adam et Ève cheminent-ils au pas de la mémoire temporelle.

Blottis dans la mémoire cosmique.

Mais n'y aurait-pas une toute autre lecture de ce jour d'avant ? Relisons les versets 16, 17 du chapitre 2 « Jardin en Éden »

[...]. « De tout arbre du jardin, tu mangeras, tu mangeras, mais de l'arbre de la connaissance du bien et du mal,

Tu ne mangeras pas,
Oui, du jour où tu en mangeras, tu mourras, tu
mourras. »

75

« Avant ce jour où », les vivants du sixième jour
étaient-ils déjà à la réplique de Dieu ? Avaient-ils
exprimé toute leur puissance, Disaient-ils comme
Dieu « Tout est bon ».
De quelles textures étaient faits ces premiers
humains ?
Le verset 15 chapitre 2 (Jardin en Éden) est si
joyeux, si confiant.
« ... Eloîm prend le glébeux et le pose au jardin
d'Éden, pour le servir et pour le garder ».
Servir Dieu est servir l'arbre de vie. Servir l'arbre
de vie est servir Dieu.
Le glébeux habite Éros. Éros est le dire du glébeux.

Quel cataclysme, quel tsunami s'empare du récit ?
Les versets 16, 17 opèrent une véritable charge
contre le glébeux. La négation, l'interdiction, la
punition enflamment le cerveau de ces natifs du
sixième jour.
Un véritable court-circuit entre le verset 15 et
les versets 16, 17 du Chapitre 2 (Jardin en Éden) !
Les vivants du sixième jour si riche des cinq premiers jours ne s'effondreront pas sous la pression
de ces versets.
Bien qu'en état de transe, ils reprennent la traversée des temps, des maux, des mots.
Ils ne peuvent oublier qu'ils sont sous la garde
de l'arbre de vie. Chacun à son rythme, ils ana-
lysent, ils sondent.

Pourquoi toute cette outrance théâtrale ?

Qui peut croire que goûter à l'arbre de la connaissance du bien et du mal peut entraîner la mort ?

L'ignorance serait au service d'Éros et la connaissance nous rendrait Mortels, honteux d'être nés NUS à l'image du serpent.

Voici l'entrée en scène du serpent nu.

Chapitre 3 (un serpent nu) versets 4, 5. Le serpent dit à la femme :

« Non, vous ne mourrez pas, vous ne mourrez pas, car Elohim sait que du jour où vous en mangerez vos yeux se dessilleront et vous serez comme Elohim, connaissant le bien et le mal »

Le serpent est la parole des premiers humains.

Il entend leurs brouhahas, leurs querelles incessantes.

En ces temps de pénuries où la satisfaction des besoins était une question de survie, il ne pouvait en être autrement.

Les natifs du sixième jour en rivalité, en concurrence permanentes pour survivre glorifiaient le pouvoir.

Dans l'ignorance d'eux-mêmes, de leur propre puissance ils ne pouvaient imaginer les bienfaits de la mise en commun, du partage.

Le serpent saisit Adam et Ève en ces instants-là de la lutte pour la vie.

Tout est dit. Le pouvoir ! Tout est pouvoir tout n'est que pouvoir. La mort des vivants du sixième jour est le triomphe de Dieu.

La mort de Dieu est le triomphe des humains.

Mais le dieu du serpent est-il ce Dieu des sept jours et du jardin en Éden

Le serpent rythme l'arrivée des émergents humains. Le serpent décrypte le cheminement des natifs du sixième jour.

Le pouvoir, les rivalités sont au service d'Éros, ne sont qu'au service d'Éros. Comment peut-il en être autrement en ces commencements ?

Quêtes de ce qui convient, ce qui ne convient pas. Temps de pénurie, d'effrois.

L'appropriation, l'exclusion, la mise à mort sont les premières stratégies de la survie.

TOUT POUR MOI !

L'ego naissant est tout frémissant.

IL ignore l'impact des multiples environnements qui l'entourent.

Les natifs du sixième jour sont mortels. La lutte à mort est la graphie de leur cerveau.

NON NON

Ne cesse de répéter le serpent : vous n'êtes pas mortels.

Curieuse situation d'Adam, Ève, du serpent.

En effet le serpent ne fait que rappeler le verset 17 Chapitre 2 (jardin en Éden)

« Oui, du jour où tu en mangeras, tu mourras, tu mourras » Adam et Ève ne pourront plus jamais s'abriter derrière Thanatos.

Thanatos est un moment de l'évolution des vivants. Il n'a pas été créé par Dieu.

Les humains sont sommés d'affronter l'interrogation, la seule qui vaille.

De quoi, de qui, par quoi, par qui mourrons-nous ?

Si la finitude n'est qu'un moment de l'évolution, il est urgent de clarifier Son verbe.

Le verbe de la finitude se décline sous les masques du pouvoir, des exclusions, des hiérarchies, des manques.

Le verbe de la finitude pétrifie ces masques en un présent éternel. Il excelle dans toutes les dualités, les dualismes.

Si le serpent nous empêche de nous figer en mortels, il se piège lui-même Il se mord lui-même en faisant du pouvoir le fondement d'Éros.

Ainsi saisissons-nous avec lucidité, enthousiasme que le pouvoir est Une des premières stratégies au service d'Éros.

Pauvre en liaisons, avare de partages, elle est balbutiement d'éros. Laisser SA trace, marquer par n'importe quel moyen son passage.

Tout pouvoir est règlement de compte avec THANATOS.

Il stagne, englouti dans la survie.

Le cerveau d'Adam et Ève naissant n'a pas encore les outils pour comprendre le double langage du serpent.

La rivalité au service d'Éros n'est en aucun cas la chair d'éros.

La rivalité inscrit la mémoire temporelle.

La mémoire temporelle est le chemin de la survie.

Les natifs du sixième jour tournoient autour du temps, bien davantage ils sont le temps.
Temps des découvertes, des explorations, des inventions au service d'Éros.

Le sixième jour écoule ses acquisitions.
Il s'étire en passé, présent, immédiat, demain, futur.
IL gribouille l'addition, la soustraction, la multiplication.
Le chiffre, le quantitatif sont légion.
Combien ça coûte dégouline sur toute la surface de la terre.
Il y va de la survie : pas assez pour tout le monde.
Ce slogan rugit des cerveaux enkystés.
Enkystés !
Par qui ? Par quoi ?

Nulle fatalité, nulle malédiction, nulle culpabilité ! Comprendre ce qui nous bloque nous solidifie. « Faire de la survie le tout des vivants. »
Certes les vivants en survie sont mortels. Mortels parce qu'en survie.

Ont-ils oublié l'arbre de la vie ?
Ont-ils occulté la mémoire cosmique ?
La vie laboure les vivants, laboure les mortels.
Les vivants sont mortels. La vie est éternité.
Rencontrons les glébeux au chapitre 3 (Serpent nu) verset 24.
« Il expulse le glébeux
Et fait demeurer au levant du jardin d'Éden les Keroubim et la flamme de l'épée tournoyante pour garder la route de l'arbre de vie. »

Les glébeux en survie ne peuvent s'enrouler autour de l'arbre de Vie.

Ils ne sont pas encore prêts.

Leur tissus leurs mots restent encore enduits des griffes de la survie De la survie à la vie. De la mémoire temporelle à la mémoire cosmique

Les Kéroubim veillent sur les glébeux, sur les mortels.

Ils sont les pédagogues de l'amour de soi. Pédagogues de l'amour de la vie.

L'amour de soi ?

S'aimer soi-même n'est-il pas le terreau du pouvoir, de la lutte à mort ?

Le lévitique ne nous nargue-t-il pas quand il nous incite à nous aimer

Chapitre 19, verset 18 (Justice pour tous et sacralité).

« Aime ton compagnon comme toi-même »

Étrange injonction à laquelle semblent totalement adhérer les Keroubim.

Mais autrui ne doit-il pas être privilégié ?

Laisser sa place à l'autre.

Les natifs du sixième jour n'ont-ils pas cru eux-mêmes que Dieu s'était retiré, contracté pour leur laisser la place.

80

Il n'y aurait pas assez de place en même temps pour Dieu et les Humains naissants.
Sublime projection du cerveau des émergents humains en ces temps d'ignorance où « L'homme était un loup pour l'homme » (Hobbes).

81

Ce temps des rivalités est le temps de la survie, des peurs diverses et multiples.
Est-ce la parole de l'amour de soi ?
L'amour de soi se réduit-il à soi ? Quel est ce soi qui dit tout pour moi,
Rien que pour moi ?
Ce soi accapareur dont le cerveau tremble de manquer, reste engorgé englué.
L'amour de soi ne peut se réduire à cet engorgement.
Tout pour moi est expérimentations des environnements de pénuries, de raretés, de sauvegardes.
Il est préservation, barrière au service d'Éros.
L'amour de soi balbutie le passé, le présent, le futur.
Les Keroubims ces transmetteurs, ces gardiens de l'arbre de vie s'égayent des découvertes des natifs du sixième jour.
L'épigenèse rythme l'amour de soi. Rien n'est figé, l'amour de soi chemine.
Mythes, religions, arts, sciences, magies, techniques, architectes de l'amour de soi, sont tous, chacun en sa particularité au service d'Éros.
Nos cerveaux souvent, parfois, stagnent, manquent de fluidité.

Grumeaux de peurs court-circuitent l'élan vital.

Temps d'incertitudes, de désespérances où l'immédiateté engloutit passé, présent, futur.

Temps de ritournelles, à ritournelles.

« Les hommes meurent ET ils ne sont pas heureux. » (Camus)

82

Ne sont-ils pas heureux parce qu'ils sont mortels ? Sont-ils mortels parce qu'ils ne sont pas heureux ?

Le bonheur nous rendrait-il immortels

L'immortalité est-elle l'expression de l'amour de soi ?

L'immortalité est-elle verbe d'Éros, le verbe d'Éros ?

Prodigieuse stratégie !

Ballet incessant entre Éros et Thanatos.

L'immortalité fonde-t-elle la pédagogie de l'amour de la vie ?

Les Keroubim accompagnent les natifs du sixième jour. Ont-ils eux-mêmes traversé la mémoire temporelle ?

Les Keroubim sont les pédagogues laboureurs, les amants de la vie.

Nul jugement, nulle hiérarchie, nulle compétition exclusive !

À l'écoute du jardin en Éden, ces laboureurs suivent le rythme de l'amour de soi de chaque natif.

Ainsi observent-ils avec une joie immense le cheminement de ces cerveaux si féconds des cinq premiers jours.

Nulle suspicion, nulle interrogation, nulle déses-
pérance !
« Ni pleurer, ni rire, mais comprendre »
Tout est lien ne cessent-ils de répéter.
Nulle coupure !
Nulle contingence, nulle déréliction !
Laboureurs d'Éros, les keroubim déplient chaque
verset des Chapitres 1, 2, 3 de la genèse « sept
jours, jardin en Éden, serpent nu. »
Tout vivant est une parole, une écriture de l'évo-
lution, de la création.

83

Mémoire temporelle, passé, présent rodent
autour du futur.
Les natifs du sixième jour gigotent en leur
complexité croissante.
Ils cheminent sur la route de l'arbre de vie.
Les Keroubim, ces laboureurs de l'arbre de vie
demeurent dans le jardin d'Éden pour garder la
route de l'arbre de vie et préparer les banquets
du Septième jour.

Extrait du livre
La Bible
de André Chouraqui
Desclée De Brouwer (2007)

EN TÊTE, GENÈSE

1. *Sept jours*
1 ENTÊTE Elohîm créait les ciels et la terre, :
2 la terre était tohu-et-bohu,
Une ténèbre sur les faces de l'abîme,
mais le souffle d'Elohîm planait sur les faces des eaux.
3 Elohîm dit : « Une lumière sera ».
Et c'est une lumière.
4 Elohîm voit la lumière : quel bien !
Elohîm sépare la lumière de la ténèbre.
5 Elohîm crie à la lumière : « Jour ».
À la ténèbre il avait crié : « Nuit ».
Et c'est un soir et c'est un matin : jour un.
6 Elohîm dit : « Un plafond sera au milieu des eaux ;
Il est pour séparer entre les eaux et entre les eaux. »
Elohîm fait le plafond.
7 Il sépare les eaux sous le plafond des eaux sur
le plafond.
Et c'est ainsi.
8 Elohîm crie au plafond : « Ciels. »
Et c'est un soir et c'est un matin : jour deuxième.
9 Elohîm dit : « Les eaux s'aligneront sous les ciels
vers un lieu unique, le sec sera vu. »
Et c'est ainsi.
10 Elohîm crie au sec : « Terre. »
À l'alignement des eaux, il avait crié : « Mers. »
Elohîm voit : quel bien !
11 Elohîm dit : « La terre gazonnera du gazon,
herbe semant semence,
arbre-fruit faisant fruit pour son espèce,
dont la semence est en lui sur la terre. »
Et c'est ainsi.
12 La terre fait sortir le gazon,
herbe semant semence, pour son espèce

et arbre faisant fruit, dont la semence est en lui, pour son espèce.

Elohîm voit : quel bien !

13 Et c'est un soir et c'est un matin : jour troisième.

14 Elohîm dit : « Des lustres seront au plafond des ciels,

pour séparer le jour de la nuit.

Ils sont pour les signes, les rendez-vous, les jours et les ans.

15 Ce sont des lustres au plafond des ciels pour illuminer sur la terre. »

Et c'est ainsi.

16 Elohîm fait les deux grands lustres,

le grand lustre pour le gouvernement du jour,

le petit lustre pour le gouvernement de la nuit et les étoiles.

17 Elohîm les donne au plafond des ciels pour illuminer sur la terre,

18 pour gouverner le jour et la nuit,

et pour séparer la lumière de la ténèbre.

Elohîm voit : quel bien !

19 Et c'est un soir et c'est un matin : jour quatrième.

20 Elohîm dit : « Les eaux foisonneront d'une foison d'êtres vivants,

le volatile volera sur la terre, sur les faces du plafond des ciels. »

21 Elohîm crée les grands crocodiles, tous les êtres vivants, rampants,

dont ont foisonné les eaux pour leurs espèces,

et tout volatile ailé pour son espèce.

Elohîm voit : quel bien !

22 Elohîm les bénit pour dire :

« Fructifiez, multipliez, emplissez les eaux dans les mers, le volatile se multipliera sur terre. »

23 Et c'est un soir et c'est un matin : jour cinquième.

24 Elohîm dit : « La terre fera sortir l'être vivant pour son espèce,

bête, reptile, le vivant de la terre pour son espèce. »

Et c'est ainsi.

25 Elohîm fait le vivant de la terre pour son espèce,

la bête pour son espèce et tout reptile de la glèbe pour son espèce.

Elohîm voit : quel bien !

26 Elohîm dit : « Nous ferons Adam « le Glébeux » à notre réplique, selon notre ressemblance.
Ils assujettiront le poisson de la mer, le volatile
des ciels, la bête, toute la terre, tout reptile qui
rampe sur la terre. »

27 Elohîm crée le glébeux à sa réplique,
à la réplique d'Elohîm, il le crée,
mâle et femelle, il les crée.

28 Elohîm les bénit. Elohîm leur dit :
« Fructifiez, multipliez, emplissez la terre,
conquérez-la.
Assujetissez le poisson de la mer, le volatile des
ciels, tout vivant qui rampe sur la terre. »

29 Elohîm dit : « Voici, je vous ai donné
toute l'herbe semant semence, sur les faces de
toute la terre,
et tout l'arbre avec en lui fruit d'arbre, semant
semence :
pour vous il sera à manger.

30 Pour tout vivant de la terre, pour tout volatile
des ciels,
pour tout reptile sur la terre, avec en lui être vivant,
toute verdure d'herbe sera à manger. »
Et c'est ainsi.

31 Elohîm voit tout ce qu'il avait fait, et voici :
un bien intense.
Et c'est un soir et c'est un matin : jour sixième.

2. Jardin en Éden

1 Ils sont achevés, les ciels, la terre et toute leur
milice.

2 Elohîm achève au jour septième son ouvrage
qu'il avait fait.
Il chôme, le jour septième, de tout son ouvrage
qu'il avait fait

3 Elohîm bénit le jour septième, il le consacre :
Oui, en lui il chôme de tout son ouvrage
qu'Elohîm crée pour faire.

4 Voilà les enfantements des ciels et de la terre
en leur création,
au jour de faire YAVEH Elohîm terre et ciels.

5 Tout buisson du champ n'était pas encore en terre,

toute herbe du champ n'avait pas encore germé :
oui, YAVEH Elohîm n'avait pas fait pleuvoir sur
la terre

et de glébeux, point, pour servit la glèbe.
6 Mais une vapeur monte de la terre,
elle abreuve toutes les faces de la glèbe.
7 YAVEH Elohîm forme le glébeux. Adam, poussière de la glèbe. Adama.
Il insuffle en ses narines haleine de vie :
et c'est le glébeux, un être vivant.
8 YAVEH Elohîm plante un jardin en Éden au
levant.
IL met là le glébeux qu'il avait formé.
9 YAVEH Elohîm fait germer de la glèbe tout
arbre
convoitable pour la vue et bien à manger,
l'arbre de la vie, au milieu du jardin
et l'arbre de la connaissance du bien et du mal.
10 Un fleuve sort de l'Éden pour arroser le jardin.
De là, il se sépare : il est en quatre têtes.
11 Nom de l'un, Pishôn, qui contourne toute la
terre de Havila
là où est l'or.
12 L'or de cette terre est bien,
et là se trouvent le bdellium et la pierre d'onyx.
13 Nom du deuxième fleuve : Guibôn,
qui contourne toute la terre de Kouch.
14 Nom du troisième fleuve : Hidèqèl, qui va au
levant d'Ashour.
Le quatrième fleuve est le Perat.
15 YAVEH Elohîm prend le glébeux et le pose
au jardin d'Éden,
pour le servir et pour le garder.
16 YAVEH Elohîm ordonne au glébeux pour dire :
« De tout arbre du jardin, tu mangeras, tu mangeras,
17 mais de l'arbre de la connaissance du bien et
du mal,
tu ne mangeras pas,
oui, du jour où tu en mangeras, tu mourras, tu
mourras. »
18 YAVEH Elohîm dit : « Il n'est pas bien pour
le glébeux d'être seul !
Je ferai pour lui une aide contre lui. »

19 YAVEH Elohîm forme de la glébe tout animal du champ,
tout volatile des ciels,
il les fait venir vers le glébeux pour voir ce qu'il leur criera.
Tout ce que le glébeux crie à l'être vivant c'est son nom.
20 Le glébeux crie des noms pour toute bête,
pour tout volatile des ciels, pour tout animal du champ.
Mais au glébeux, il n'a pas trouvé d'aide contre lui.
21 YAVEH Elohîm fait tomber une torpeur sur le glébeux. Il sommeille.
Il prend une de ses côtes et ferme la chair dessous.
22 YAVEH Elohîm bâtit la côte, qu'il avait prise du glébeux, en femme.
Il la fait venir vers le glébeux.
23 Le glébeux dit :
« Celle-ci, cette fois, c'est l'os de mes os, la chair de ma chair,
à celle-ci, il sera crié femme- Ish-a - :
oui, de l'homme – Ish- celle-ci est prise. »
24 Sur quoi l'homme abandonne son père et sa mère :
Il colle à sa femme et ils sont une seule chair.
25 Les deux sont nus, le glébeux et sa femme : ils n'en blêmissent pas.

3. Un serpent nu
1 Le serpent était nu
plus que tout vivant du champ qu'avait fait YAVEH Elohîm.
Il dit à la femme : « Ainsi Elohîm l'a dit :
Vous ne mangerez pas de tout arbre du jardin... »
2 La femme dit au serpent :
« Nous mangerons les fruits des arbres du jardin,
3 mais du fruit de l'arbre au milieu du jardin,
Elohîm a dit : « Vous n'en mangerez pas, vous n'y toucherez pas,
afin de ne pas mourir. »
4 Le serpent dit à la femme :
« Non, vous ne mourrez pas, vous ne mourrez pas,

5 car Elohîm sait que du jour où vous en mangerez vos yeux se dessilleront et vous serez comme Elohîm,

connaissant le bien et le mal. »

6 La femme voit que l'arbre est bien à manger, oui, appétissant pour les yeux,

convoitable, l'arbre, pour rendre perspicace.

Elle prend de son fruit et mange.

Elle en donne aussi à son homme avec elle et il mange.

7 Les yeux des deux se dessillent, ils savent qu'ils sont nus.

Ils cousent des feuilles de figuier et se font des ceintures.

8 Ils entendent la voix de YAVEH Elohîm

qui va dans le jardin au souffle du jour.

Le glébeux et sa femme se cachent, face à YAVEH Elohîm

au milieu de l'arbre du jardin.

9 YAVEH Elohîm crie au glébeux, il lui dit : « Où es-tu ? »

10 Il dit : « J'ai entendu ta voix dans le jardin et j'ai frémi ;

oui moi-même je suis nu et je me suis caché. »

11 Il dit « Qui t'a rapporté que tu es nu ?

L'arbre dont je t'avais ordonné de ne pas manger, en as-tu mangé ? »

12 Le glébeux dit : « La femme qu'avec moi tu as donnée

m'a donné de l'arbre, elle, et j'ai mangé. »

13 YAVEH Elohîm dit à la femme : Qu'est-ce que tu as fait ? »

La femme dit : « Le serpent m'a abusée et j'ai mangé. »

14 YAVEH Elohîm dit au serpent : « Puisque tu as fait cela,

tu es honni parmi toute bête, parmi tout vivant du champ.

Tu iras sur ton abdomen et tu mangeras de la poussière

tous les jours de ta vie.

15 Je placerai l'inimitié entre toi et entre ta femme,

Entre ta semence et entre sa semence.

Lui, il te visera la tête et tu lui viseras le talon. »
16 À la femme, il a dit : « Je multiplierai, je multiplierai
ta peine et ta grossesse, dans la peine tu enfanteras des fils.
À ton homme, ta passion : lui, il te gouvernera. »
17 Au glébeux, il dit :
« Oui, tu as entendu la voix de ta femme et mangé de l'arbre,
dont je t'avais ordonné pour dire : « Tu n'en mangeras pas. »
Honnie est la glèbe à cause de toi.
Dans la peine tu en mangeras tous les jours de ta vie.
18 Elle fera germer pour toi carthame et chardon : mange l'herbe du champ.
19 À la sueur de tes narines, tu mangeras du pain jusqu'à ton retour à la glèbe, dont tu as été pris.
Oui, tu es poussière, à la poussière tu retourneras. »
20 Le glébeux crie le nom de sa femme : Hava-Vivante.
Oui, elle est la mère de tout vivant.
21 YAVEH Elohîm fait au glébeux et à sa femme des aubes de peau et les en vêt.
22 YAVEH Elohîm dit :
« Voici, le glébeux est comme l'un de nous pour connaître le bien et le mal.
Maintenant, qu'il ne lance pas sa main,
ne prenne aussi de l'arbre de vie, ne mange et vive en pérennité ! »
23 YAVEH Elohîm le renvoie du jardin d'Éden, pour servir la glèbe dont il fut pris.
24 Il expulse le glébeux
et fait demeurer au levant du jardin d'Éden les Keroubim
et la flamme de l'épée tournoyante
pour garder la route de l'arbre de vie.

Achevé d'imprimer en jun 2023 par Corlet Imprimeur -
14110 Condé-en-Normandie
Dépôt légal : juillet 2023 - n° d'imprimeur : 23060207 - *Imprimé en France*